Charles Morris

El Principito
y el bosque encantado

editorial Sirio, s.a.

Ilustraciones: Juan Carlos y Daniel Hidalgo

©   Charles Morris

©   de la presente edición

EDITORIAL SIRIO, S.A.
C/ Panaderos, 14
29005-Málaga
España

EDITORIAL SIRIO
Nirvana Libros S.A. de C.V.
3ª Cerrada de Minas, 501
Bodega nº 8 , Col. Arvide
Del.: Alvaro Obregón
México D.F., 01280

ED. SIRIO ARGENTINA
C/ Paracas 59
1275- Capital Federal
Buenos Aires
(Argentina)

www.editorialsirio.com
E-Mail: sirio@editorialsirio.com

I.S.B.N.: 978-84-7808-564-4

Impreso en China

I

Había llovido. En el asteroide del principito no llovía con frecuencia. Para el principito la lluvia era como un regalo, un motivo de fiesta, porque el agua llegaba a ser escasa en el pequeño planeta y a él le gustaba escuchar la canción alegre del agua, que suena como una risa.

Como la noche anterior las nubes habían descargado con fuerza, insistentemente, por el pequeño asteroide corrían algunos arroyuelos, lo que divirtió mucho al principito.

Al rato salió el sol y el muchacho giró la silla hacia el oeste para poder disfrutar de su placer favorito, los atardeceres, que llegan siempre cargados con su leve equipaje de melancolía. Al principito le gustaba dejar volar la imaginación mirando la explosión de colores que se mostraba ante sus ojos, unos colores que, poco a poco, iban perdiendo brillo y luminosidad hasta convertirse en penumbra.

Un rato después, mientras daba un paseo por su asteroide, se encontró un brote de baobab. Lo arrancó, como hacía siempre, porque sabía que si alguna vez uno de aquellos brotes llegaba a crecer lo suficiente, podría hacer explotar su pequeño planeta. También deshollinó los dos pequeños volcanes y cubrió su flor para que un viento inoportuno no la quebrase. Luego se fue a dormir.

Le despertó un leve sonido, como un batir de pequeñas alas. El principito tardó un poco en reaccionar, y todavía un poco más en darse cuenta de que a su alrededor revoloteaba una diminuta figura brillante. Cuando por fin la vio con claridad, sonrió alegre y preguntó:

—¿Quién eres tú?

—Soy Yahivé, la reina de las hadas, –respondió–. Me ha costado mucho encontrarte. Este pequeño asteroide está muy lejos de la Tierra, y mis alas son tan pequeñas... Pero por fin te he hallado.

Yahivé descendió y se apoyó sobre una piedra. Se la veía realmente cansada.

El principito no entendía qué estaba pasando, pero la presencia de Yahivé le resultaba agradable, le hacía sentirse feliz.

—¿Qué es un hada? –preguntó el principito de repente.

—Las hadas somos una raza casi tan antigua como la Tierra. Siempre hemos vivido en sus bosques, cuidándolos, protegiéndolos, velando por la vida de todos sus habitantes. No hay cosa que ocurra en el bosque, por pequeña que sea, que no lo sepamos las hadas. Y cuando es necesario, intervenimos utilizando nuestra magia. Pero hay veces en que ni siquiera la magia sirve de nada.

De repente Yahivé se había puesto muy triste. El principito, que era muy considerado, dejó pasar unos minutos antes de volver a la carga con nuevas preguntas.

—¿Por qué dices que a veces ni siquiera la magia sirve de nada?

—Porque hay cosas sobre las cuales no podemos actuar. Cuando el orden natural se altera no podemos hacer nada, excepto esperar que todo vuelva a su ser original. Pero en este caso...

La reina de las hadas volvió a caer en una profunda tristeza. El principito, para animarla, le propuso:

—¿Quieres que contemplemos una puesta de sol? Son tan hermosas...

Yahivé aceptó con una sonrisa. Y los dos se dispusieron a ver cómo los últimos rayos del sol llenaban el cielo de tonos violeta, anaranjados y rojos, jirones de belleza que les serenaron el alma.

II

El atardecer tuvo la virtud de calmar el ánimo de Yahivé. Sentada junto al principito, a muy poca distancia de la flor, que la miraba con algo de envidia, el hada se sentía segura por primera vez en mucho tiempo. Había hecho un largo viaje para llegar hasta aquel pequeño planeta. Yahivé había utilizado la brusca fuerza del viento del Norte para recorrer la mayor parte del camino, pero había sido una decisión arriesgada. Cuando quiso alejarse de la fría corriente, hubo de emplear toda la fuerza de sus pequeñas alas, y aun así estuvo a punto de no conseguirlo y verse arrastrada indefinidamente por aquel soplo helado hasta que hubiese muerto de frío. Luego voló durante mucho tiempo, y cuando por fin pensó que ya no aguantaría más, cuando estaba a punto de dejarse caer rendida de

cansancio, avistó el asteroide que buscaba, y con un último esfuerzo consiguió llegar. Ahora se sentía mejor y su brillo era de nuevo intenso, mucho más luminoso y bello que cuando llegó, detalle que al principito no le pasó inadvertido.

—¿Te encuentras mejor? –preguntó el muchacho.

—Sí, gracias. Necesitaba descansar un poco, nada más. Ahora ya estoy recuperada y dispuesta a volver a la Tierra.

—¿Ya quieres volver? –inquirió el principito–. ¿A qué has venido entonces?

Yahivé parecía sorprendida. Pensaba que estaba claro, pero, con paciencia, respondió:

—He venido hasta aquí a buscarte. Es necesario que regresemos pronto, el Bosque Encantado nos necesita.

—¿El Bosque Encantado? ¿Qué es eso? –preguntó, muy intrigado, el principito.

—¿No lo sabes? ¿En qué mundo vives? –dijo Yahivé, dándose cuenta de inmediato de la tontería que acababa de decir–. El Bosque Encantado es el último lugar en la Tierra donde reinamos las hadas, y está en grave peligro.

—Será mejor que me lo cuentes todo desde el principio.

III

En el pequeño asteroide todo estaba en calma. Corría una ligera brisa, suave y dulce, que traía un leve aroma salobre. El principito reconoció a su viejo amigo, el viento del Sur, que tantas veces le acompañaba cuando se sentía solo, y que ahora aparecía como un niño curioso para escuchar la historia que Yahivé estaba empezando a narrar.

—Como ya te conté –empezó el hada–, mi pueblo es casi tan antiguo como la Tierra misma. Desde la noche de los tiempos hemos habitado el planeta cuidando de sus bosques, velando por ellos. Hubo un tiempo en que fuimos muy numerosas, en que toda la magia del mundo estaba con nosotras, pero ese tiempo pasó. El hombre, poco a poco, nos fue arrinconando. Los bosques se iban perdiendo, talados, quemados, destruidos, y nosotras cada día éramos menos. Cada vez que muere un árbol, un hada desaparece. Y así, durante miles de años, nuestra población fue mermando lentamente, como también fue disminuyendo el número de árboles en el planeta. Hasta que, al final, sólo quedamos unas pocas, refugiadas en el Bosque Encantado, nuestro último reducto. Desde allí tratamos de conservar lo poco que queda de un mundo que ya no se parece en nada al que una vez fue nuestro reino, un mundo donde las ciudades, las fábricas, las chimeneas sustituyen a los pinos, a los robles, a los álamos. Durante mucho tiempo hemos protegido el Bosque Encantado. Incluso llegamos a creer que la fuerza de nuestra magia podría conservarlo para siempre, pero no contábamos con que faltara el agua.

El principito estaba cada vez más perplejo. No sabía muy bien qué podía hacer él en todo aquello, pero seguía escuchando pacientemente la historia de Yahivé.

—Un día empezó a escasear el agua. El Bosque Encantado está atravesado por un río no demasiado ancho, pero suficiente para mantenerlo vivo y verde. Era un río cristalino que nacía en las montañas. Pero un buen día empezó a menguar, como si estuviese adelgazando, y así, poco a poco, fue quedándose seco. Sin el río el Bosque Encantado desaparecerá.

Cuando terminó esta frase, Yahivé, la reina de las hadas, comenzó a llorar. No es fácil ver llorar a un hada. Cuando las hadas lloran es como si desapareciera la esperanza, como si todo se diese ya por perdido. Ver llorar a un hada es algo muy triste, porque cuando las hadas lloran, con ellas llora el universo, y no hay consuelo posible.

Sin duda era una situación desesperada, pero el principito seguía sin saber qué podía hacer en un asunto tan grave, aunque algo le decía que, si tenía un poco de paciencia, conseguiría averiguarlo.

—Por eso he venido hasta aquí –continuó Yahivé entre lágrimas–, porque necesito tu ayuda para salvar nuestro bosque y la magia que todavía queda en el mundo.

La noche comenzó a llegar hasta el asteroide. Lo hizo despacio, con suavidad, trayendo con ella un poco de calma a la reina de las hadas, que esperaba una respuesta del principito. Al cabo de un rato de no obtener contestación, Yahivé preguntó:

—¿Me ayudarás?

El principito jamás respondía una pregunta directa. Se limitó a mirar a la reina de las hadas a los ojos y a decirle como en un susurro que debían descansar mucho, porque les esperaba un largo viaje. Yahivé se sintió más aliviada y se quedó dormida muy pronto, extenuada después de tantas emociones.

IV

El principito se levantó temprano. Quería dejarlo todo arreglado antes de marcharse. Lo primero que hizo fue deshollinar los volcanes, pues aunque llevan muchos años apagados, nunca se sabe. Luego comprobó que no había ningún brote de baobab en todo el asteroide, trabajo éste muy delicado, porque cualquier error podía ser fatal. Y, por fin, fue a ver a su querida flor.

—Tengo que marcharme -le dijo-, me necesitan.

—Lo sé -respondió la flor-. Debes tener cuidado. Hay fuerzas contra las que es imposible luchar, y sólo se las puede vencer rindiéndose a ellas.

El principito pensó que su flor era más enigmática que de costumbre, pero no tenía tiempo de pedir explicaciones, así que la cubrió con una pequeña campana de cristal y fue a buscar a Yahivé. La reina de las hadas estaba más brillante que el día anterior, como si se hubiese recargado de energía, y parecía muy animada.

—¿Podemos irnos ya? –preguntó al principito, que no contestó, como era su costumbre.

Poco después, una leve brisa proveniente del Sur, cálida y amistosa, les removió el cabello. El principito le hizo un gesto, y ambos se dejaron llevar por aquel viento suave y bonachón que los mecía entre las nubes.

Cuando llegaron a la Tierra, un sofocante calor se les vino encima de repente. El principito no había sentido antes nada igual, estaba desconcertado. Miró al hada, como interrogándola con la mirada, pero Yahivé tampoco sabía qué estaba ocurriendo. Se encontraban en mitad del desierto, pero no era un desierto de arena, con dunas, sino una especie de pedregal interminable hasta donde abarcaba la vista, sin atisbo alguno de sombra o de vida. Yahivé se sintió perdida.

—¿Qué haremos ahora? –preguntó sin esperar respuesta–. No sé dónde estamos, pero es evidente que nos hemos desviado de nuestro destino. No reconozco este lugar, pero estoy segura de que se halla muy lejos del Bosque Encantado. Debemos encontrar rápidamente el camino correcto, pues si nos retrasamos mucho, el bosque morirá.

El principito sabía que Yahivé tenía razón. Comenzaron a caminar hacia donde los llevó su intuición. El sol calentaba implacablemente y cada vez les costaba más trabajo avanzar. Habían recorrido un largo trecho cuando el cielo empezó a teñirse de un rojo intenso, como si alguien hubiese incendiado las nubes. Poco a poco, el sol iba desapareciendo tras la línea del horizonte. No se oía nada, el silencio era absoluto. El principito estaba absorto con semejante espectáculo, pero de repente un sonido le sacó de su ensimismamiento.

—¡Maravilloso, maravilloso! –gritaba alguien mientras aplaudía–. ¡Qué gran espectáculo! ¡Apoteósico!

Fue entonces cuando el principito se dio cuenta de que había un hombre sentado muy cerca de ellos. Estaba muy delgado y parecía muy viejo. El principito se le acercó.

—¿Quiénes sois vosotros? –preguntó el hombre muy sorprendido, porque tampoco había notado la presencia de Yahivé y el principito.

—¿Vives aquí? –inquirió el principito sin responder a la pregunta del hombre–. ¿Sabes dónde podemos encontrar el agua?

—¡Ah, claro, el agua! -exclamó el hombre!-. Llevo muchos años en este desierto y todo el mundo me pregunta lo mismo. Bueno... Todo el mundo... Las tres personas, contándoos a vosotros dos, que han pasado por aquí, claro. Lo que no saben es que eso es precisamente lo que yo busco.

Al principito le divertía aquello. El hombre permanecía sentado, con las piernas recogidas, mimetizándose por completo en el entorno, como si él también formase parte del desierto. Al principito no le parecía que aquélla fuese la mejor manera de buscar nada.

—¿Sabes dónde podemos encontrar agua? -volvió a preguntar-. Es muy importante que la encontremos pronto.

—Naturalmente, naturalmente -respondió el hombre-. El agua es imprescindible. Es el origen de todo, porque todo lo viviente procede del agua. Al principio todo era un mar único sin luz. Luego el universo se fue configurando. Pero el agua, muchacho, está en todas partes, circula por ahí en diversas formas, y es el principio y el fin de todas las cosas de la Tierra, pues de las aguas surge todo lo viviente como de la madre. El agua no se para ni de día ni de noche. Cuando circula por arriba genera la lluvia y el rocío, y cuando circula por abajo forma los ríos y los lagos. Si la apresan en un dique, se detiene, y si se le abre camino discurre alegremente por él. Pero el agua siempre hace el bien, no lucha jamás, a pesar de que nada la iguala en fuerza. Algunos sabios antiguos creían que el abismo de las aguas era un símbolo de sabiduría insondable; esa misma es la que yo busco desde hace ya tantos años que ni siquiera recuerdo cuándo llegué aquí, a este lugar en el que no hay ni una gota de agua.

El principito estaba asombrado. Aquel hombre lo sabía todo sobre el agua y, sin embargo, parecía que desconocía dónde encontrarla. Era una especie de sinsentido, una locura que, sin embargo, le divertía mucho.

—¿Y cómo se te ocurrió venir a buscar el agua aquí, donde sabes que no hay?

—Las cosas se definen por sí mismas y también por su ausencia, muchacho –contestó el viejo, sonriendo–. Aquellos antiguos sabios llamaban «abismo» a lo insondable, a lo misterioso. Y nada hay más insondable y misterioso que el desierto, así que vine aquí a encontrar la sabiduría. Me convertí en un anacoreta, y he dedicado toda mi vida a la contemplación y la meditación.

El principito estaba desconcertado. Aquel hombre, sin duda, era un sabio, y el principito estaba seguro de que podría ayudarlos, pero tenía la sensación de que no estaba haciendo las preguntas correctas. Trató de encontrar las palabras adecuadas y, finalmente, dirigiéndose al anacoreta, le dijo:

—Necesitamos encontrar el agua, es imprescindible para la supervivencia del Bosque Encantado. Si tú estuvieses en nuestro lugar, ¿dónde buscarías?

—Eres un muchacho muy listo –comenzó a responder el anacoreta–, te has dado cuenta de que no son las respuestas, sino las preguntas, lo que de verdad importa. Bien, eso está muy bien. Sin el agua nada existe, pero no toda el agua es la misma. Debéis encontrar el río sagrado, la morada del dragón, y hallaréis la respuesta a vuestras preguntas.

Una vez dicho esto, el anacoreta cerró los ojos y se sumió en una profunda meditación. El principito comprendió que no valdría de nada hacerle más preguntas, de manera que ni siquiera lo intentó. Era ya de noche cerrada, pero no quería perder tiempo. Además, era mucho más fácil caminar por aquel desierto sin el sol castigándolos, así que emprendieron el camino.

V

Durante toda la noche Yahivé y el principito caminaron por el desierto siguiendo la titilante línea de las estrellas. La belleza del cielo les daba paz en sus corazones, les aliviaba el cansancio y les llenaba de esperanza. Estaban seguros, por primera vez, de que lograrían su propósito, de que conseguirían salvar el Bosque Encantado y a sus habitantes.

Al amanecer, se sintieron muy cansados. El sol apareció casi de repente, como si tuviese prisa, y empezó a calentar con fuerza. Yahivé propuso que buscasen algún lugar donde refugiarse, y el principito asintió con la cabeza. Poco después vieron, a lo lejos, una especie de pequeña cabaña en ruinas, aunque a ellos les pareció un palacio, hacia la que corrieron, ansiosos por encontrar un poco de sombra.

Cuando fueron a entrar, algo los detuvo. Unos ojos brillantes, amenazadores, los observaban desde dentro. El principito no sabía qué hacer, pero quiso proteger a Yahivé, así que la tomó entre sus manos.

De repente se oyó un pequeño siseo que puso en alerta al principito, aunque era apenas perceptible. Con un gesto indicó a Yahivé que guardara silencio y aguzó el oído. De nuevo oyó el siseo. Parecía venir de detrás de unas piedras que alguien había apilado en un rincón de la cabaña. Fue hasta allí y apartó unas cuantas. Algo se movió como un rayo. Y de repente, frente a él, con la cabeza erguida y amenazante, apareció la serpiente.

—¡Cuidado! –gritó Yahivé–. ¡Puede ser venenosa! ¡Apártate!

Sin embargo, el principito, en lugar de retroceder, se acercó a la serpiente. Ésta, al verlo, pareció calmarse. El muchacho la tomó en sus manos, dándole un poco de calor. Yahivé estaba asombrada. Nunca había visto a nadie tratar así a las serpientes, ni a una serpiente ser tan dócil.

—Sólo está asustada –dijo el principito–, y trata de defenderse. Es algo natural a todas las criaturas, pero no quiere lastimarnos. También mi flor, cuando

se siente amenazada, muestra sus espinas. Pero no debes temer nada.

—Gracias -dijo la serpiente-. No quiero hacer daño a nadie. Me sobresalté al veros.

—¿Qué haces aquí? -preguntó el principito.

—Busqué refugio para la noche y, justo cuando iba a salir a tomar el sol, noté vuestra presencia y me quedé muy quieta. Pero ya no podía aguantar más; necesito salir y calentarme, porque si no me moriré.

La serpiente tiritaba de frío y, realmente, parecía enferma. El principito se apartó y ella reptó hasta la puerta de la cabaña, donde empezó a recibir los calientes rayos solares. A los pocos minutos su aspecto había mejorado muchísimo.

—¿Puedes ayudarnos? –preguntó el principito dirigiéndose a la serpiente–. Buscamos la morada del dragón.

—¿Dragones? ¿Todavía queda alguno? ¡Qué extraño!

La respuesta de la serpiente era muy enigmática, y el principito volvió a la carga.

—¿Por qué te parece tan extraño?

—Porque creía que se habían extinguido hace muchos, muchísimos años. Sólo sé de ellos algunas cosas de oídas, las que escuché contar a los más viejos sobre mis antepasados.

—¿Tus antepasados?

—Naturalmente. Nosotras, las serpientes, somos las descendientes directas de aquellos míticos dragones que poblaron la Tierra en los viejos tiempos. Claro que otros dicen lo mismo. Nuestros primos, los lagartos, por ejemplo, también reclaman la herencia de los dragones, y lo mismo hacen las iguanas e incluso los camaleones. Pero somos nosotras, las serpientes, las auténticas descendientes de los dragones.

Sin duda, la serpiente se sentía muy orgullosa de sus antepasados y disfrutaba hablando de ellos. El principito aprovechó la ocasión.

—En realidad, ¿qué es un dragón? ¿Cómo se reconoce?

—¡Ah, muchacho! –dijo la serpiente, poniéndo de nuevo misteriosa–. Un dragón es el ser más h moso que haya existido jamás, la más bella criatu que ha caminado sobre la Tierra y surcado los ciel

El principito estaba perplejo, pero decidió ter paciencia.

—Hace muchos, muchísimos años, cuando mundo todavía era joven, los dragones dominaban Tierra. Eran seres pacíficos y buenos, pero con en mes poderes. Su cola era tan fuerte que podía derrib una montaña de un solo golpe. Pero, sobre tod podían arrojar fuego por la boca. Era un ser prácti mente invencible. Pero todo tiene su fin en este mun

—¿Qué les pasó? –inquirió de nuevo el principi

—Nadie lo sabe. Un buen día comenzaron a de parecer lentamente. Como si se los hubiese tragado tierra. No dejaron ningún rastro.

—Todo esto es muy extraño –dijo el principit No va a ser fácil encontrar la morada del dragón y s var el Bosque Encantado, pero tenemos que intentar

—Quizás... –comenzó a decir la serpiente–. Pe no, es imposible.

—¿Qué es imposible? –preguntó el principito.

—Hay alguien que quizás pueda saber algo, pero no estoy segura.

—¿Quién? -insistió el principito.

—El Pequeño Espíritu del Fuego -respondió al fin la serpiente-. Por eso os digo que es imposible, porque nadie ha sido capaz de convocarlo desde hace muchísimos años, tantos que ya nadie guarda memoria de él. Pero el Pequeño Espíritu del Fuego es el único capaz de encontrar a un dragón, porque es su aliento, su alma, y el alma siempre busca al cuerpo.

—¿Cómo podemos convocar a ese espíritu? -inquirió el principito.

—Debéis adentraros en el desierto, llegar hasta su corazón. El camino es largo y muy duro. Han sido muchos los que lo han intentado, pero sólo en una ocasión alguien lo logró. Una vez que os encontréis en el corazón del desierto, aguardad. Si tenéis un alma pura, el Pequeño Espíritu del Fuego se hará visible ante vosotros y podréis formular vuestra pregunta.

El principito estaba muy callado, como si tratase de retener en la memoria todas las palabras de la serpiente. Durante un buen rato nadie dijo nada. El sol avanzaba cada vez más en el cielo, un cielo completamente azul, terso, sin una nube. El calor comenzaba a ser sofocante. Del suelo ascendía una vaharada que empezaba a transformar la forma de las cosas. Al cabo de un rato, el principito dijo:

—Iré yo solo.

—¡No puede ser! –contestó Yahivé–. ¡No voy a permitir que corras tú solo el riesgo de llegar al corazón del desierto! ¡Te acompañaré!

El principito, con una sonrisa, trató de explicarle:

—Es la única forma de que tengamos éxito en nuestra misión. Tú, Yahivé, eres demasiado pequeña, demasiado frágil, y no podrías resistir un viaje tan peligroso. Sólo yo tengo alguna posibilidad de éxito. No te preocupes por mí, soy muy resistente y necesito muy poco. Volveré antes de que te des cuenta y traeré conmigo la respuesta que buscamos.

Yahivé iba a protestar de nuevo, pero se dio cuenta de que no le serviría de nada. Aunque hacía muy poco que conocía al principito, sabía que una vez había tomado una decisión no cambiaría de parecer, y además, las razones que había dado eran incontestables. La reina de las hadas le dedicó una sonrisa de profundo agradecimiento.

—Tienes razón, –le dijo–. Siempre estaré en deuda contigo por tu valor y tu esfuerzo. Gracias, principito.

El muchachito no dijo nada. Se quedó un momento en silencio, mirando hacia el horizonte, ese horizonte tan lejano y tan inmenso, tan distinto al de su planeta. No pudo evitar un recuerdo para su flor, que estaría sola, quizás quejándose de no tener compañía, de no tener quien la cuidase. En estos pensamientos estaba cuando se le acercó la serpiente.

—¿Qué te ocurre, muchacho? –preguntó.

—¿Cómo llegaré al corazón del desierto? –quiso saber a su vez el principito, que jamás contestaba una pregunta directa.

—Habrás de aguardar al amanecer. Cuando sólo quede una estrella en el cielo, emprenderás tu camino. Un guía te llevará. Pero ¡cuidado! No debes pronunciar una sola palabra, ni una sola, pase lo que pase, o el guía desaparecerá y te perderás en el desierto para siempre. ¿Has entendido?

El principito no respondió. Estaba pensativo, sabía que se estaba exponiendo a un peligro muy grande, pero no tenía más remedio si quería salvar el Bosque Encantado. El día comenzaba a morir lentamente. Ante sus ojos, el sol caía. Era un atardecer demasiado luminoso, lleno de fuego, sin esos matices de color violeta que tanto le gustaban. Era una puesta de sol muy distinta a las de su planeta, y el muchacho sintió una profunda nostalgia. Hubiese dado cualquier cosa por estar en ese momento en su casa, junto a sus volcanes, a sus brotes de baobab, a su flor. Pero no podía volver aún, tenía que ayudar a Yahivé a salvar el Bosque Encantado.

Cuando las primeras estrellas alumbraron en el cielo, un viento helado comenzó a recorrer el desierto. Todos buscaron refugio en la destartalada cabaña. El principito dejó que la serpiente se enroscase junto a él, aliviando con el calor de su cuerpo la fría noche del desierto. Por entre las rendijas silbaba el viento su vieja canción.

Al amanecer, cuando sólo quedaba una estrella en el cielo, el principito salió de la choza. Estaba extrañado, porque no veía a nadie por ningún lado. En el interior, todos dormían. A punto estuvo de despertar a la serpiente y preguntarle qué había pasado, qué había ido mal, pero no lo hizo. Decidió que, aun sin guía, debía emprender el camino. Cuando dio el primer paso, un grillo se puso delante. El principito comprendió que su guía había llegado puntual y empezó a seguirlo. En ese momento, un rayo de sol le tocó el cabello y la última estrella desapareció. Para el principito aquello representaba dos buenos presagios, y caminó, alegre, tras el pequeño pero rápido grillo que le servía de guía.

Nunca sabrá exactamente cuánto tiempo caminó por el desierto, bajo el terrible sol. Fueron varios días, pero el principito perdió la cuenta. Cuando llegaba la noche, siempre encontraba cerca algún lugar donde refugiarse. Era como si su guía hubiese calculado con gran exactitud cada jornada de camino. Y al amanecer, cuando sólo quedaba una estrella en el cielo, reemprendía su viaje, siempre con el pequeño grillo delante, enseñándole el camino.

De repente, una mañana, justo cuando el sol alcanzaba el cenit, el grillo se paró, giró tres veces de derecha a izquierda, y desapareció tan de repente como había aparecido la mañana en que el principito emprendió el viaje. El muchacho, recordando las instrucciones de la serpiente, se sentó en el duro suelo del desierto y aguardó. Algo extraordinario estaba a punto de sucederle, lo sabía, y una extraña inquietud le removía el estómago.

VI

El sol comenzó a caer lentamente. El principito estaba asombrado, porque desde que llegó al desierto nunca había visto un atardecer tan majestuoso, tan bello, como el que ahora tenía delante de sus ojos. El sol parecía querer complacerlo, hacer que no tuviera nostalgia de su pequeño planeta, y le regaló los más suaves malvas, los más encendidos rojos, los más cálidos naranjas que jamás había visto. El alma del principito se sintió muy reconfortada, y de repente se le despejó todo el cansancio que había acumulado en el largo viaje hasta el corazón del desierto.

Cuando el último suspiro de luz se perdió y las estrellas poblaron el cielo, una pequeña llama comenzó a arder ante el principito, que lejos de asustarse, sonrió confiado. Y de repente, en medio de las llamas, el principito creyó ver una pequeña figura que le observaba con detenimiento, como un diminuto duende de fuego que le estudiaba.

—Bien, veo que por fin alguien ha sido capaz de atravesar el desierto hasta encontrarme. Hace más de dos mil años que nadie lo conseguía. Bienvenido, pues. Soy el Pequeño Espíritu del Fuego y estoy dispuesto a responder a tus preguntas. ¿Qué buscas, muchacho?

El principito, que jamás contestaba una pregunta directa, guardó silencio durante un instante, meditando bien lo que iba a decir, y luego, con parsimonia, preguntó:

—¿Sabes dónde puedo encontrar la morada del dragón?

—Naturalmente que lo sé -dijo el Pequeño Espíritu del Fuego-. Yo lo sé todo. Y por eso también sé que no buscas al dragón, sino el agua.

El principito estaba impresionado. Aunque el Pequeño Espíritu del Fuego le parecía un tanto petulante, había sido capaz de averiguar la verdadera razón de su viaje.

—¿Puedes ayudarme? -interrogó el muchacho de nuevo.

—Claro que sí, mi joven amigo -contestó el Pequeño Espíritu del Fuego-. Pero antes debes saber

algunas cosas. Lo que estás buscando es, sobre todo, un símbolo, y los símbolos son la representación de algo, generalmente algo sagrado. El agua es un símbolo, al igual que el dragón. Yo mismo también soy un símbolo, de hecho, muy parecido al agua, aunque seamos antitéticos. Yo soy el fuego, el agente de transformación del que todo nace y al que todo vuelve. Soy el mediador entre lo que está en desaparición y lo que está en creación. Soy la representación del sol sobre la Tierra. Personifico el conocimiento, la luz y el calor. Lo que yo destruyo queda purificado, y por tanto renacido en una forma más espiritual. Soy la victoria del bien sobre el mal, de la luz sobre las tinieblas.

—¿Y qué hay del dragón? –inquirió de nuevo el principito.

—El dragón es la representación animal del rayo, y el rayo trae la lluvia, el agua, la fecundidad y la vida al mundo. Algunos pueblos antiguos decían que cuando llovía era que la Tierra se unía con el dragón. Es el camino a través de todas las cosas. Pero es también el adversario, aquello que ha de ser vencido, el enemigo primario, el combate final, la gran prueba. Todos los grandes héroes de la historia hubieron de vencer al dragón para alcanzar sus metas, sus objetivos.

Tal vez tú también tengas que hacerlo si quieres salvar el Bosque Encantado.

—¿Qué aspecto tiene un dragón? –preguntó el principito.

—Tiene muchas formas, muchacho; cada cual lo ve como más le teme. Unos le dan cuerpo de serpiente alada, que vive en los aires y en las aguas, con enormes fauces. Otros lo hacen terrestre pero con capacidad para volar, con una boca muy pequeña y una enorme cola capaz de destruir cualquier cosa. Cada cual tiene su propio dragón y ha de vencerlo a su manera.

El principito no estaba seguro de comprender del todo las palabras del Pequeño Espíritu del Fuego, que le parecían muy enigmáticas. De todas formas, le quedaban muchas preguntas por hacer.

—¿Dónde puedo encontrar al dragón?

—Ése es el gran enigma de todo ser viviente –respondió el Pequeño Espíritu del Fuego–. Cada uno debe buscarlo según su intuición. No temas, muchachito, encontrarás el dragón que buscas mucho antes de lo que crees. Debes dejarte guiar por tu instinto; él no te mentirá jamás. Confía en tus amigos, ya que ellos son tu fuerza, y recuerda muy bien todo cuanto te he dicho.

Nada más pronunciar estas palabras, el Pequeño Espíritu del Fuego desapareció del mismo modo que había venido. La oscuridad envolvió al principito sólo por unos instantes, porque de inmediato los primeros rayos del sol comenzaron a iluminar el desierto. Sin darse cuenta, había pasado toda una noche. Pero no se sentía cansado. Estaba deseando emprender la búsqueda del dragón.

Cuando en el cielo no quedaba más que una estrella, el grillo surgió de la nada y comenzó a caminar delante del principito, conduciéndolo de nuevo hasta donde le esperaba Yahivé, la reina de las hadas.

VII

Empezaba a anochecer cuando el principito vio a lo lejos la desvencijada cabaña donde le esperaba Yahivé. Apuró el paso y consiguió llegar cuando todavía el sol no se había terminado de esconder. Yahivé le recibió con gran alegría, haciéndole muchas preguntas sobre el viaje y sobre el Pequeño Espíritu del Fuego, preguntas a las que, como era su costumbre, no contestó.

—Debemos prepararnos para partir lo antes posible –dijo el principito–. Mañana, en cuanto amanezca, emprenderemos el camino. No estoy muy seguro de hacia dónde debemos caminar, pero sé que lo iremos descubriendo paso a paso. No debemos tener miedo; lograremos nuestro objetivo.

Yahivé no sabía muy bien a qué se refería el principito, pero confiaba en él y estaba dispuesta a seguirle hasta el fin del mundo, así que se preparó para descansar, porque al día siguiente iba a reanudar su viaje en busca del dragón.

Sentado en un rincón, el principito parecía sumido en profundas meditaciones cuando se le acercó la serpiente.

—Así que, finalmente, lograste encontrar al Pequeño Espíritu del Fuego –dijo–. Jamás pensé que vería algo así. Hace más de dos mil años que nadie lo hacía, muchacho.

—¿Tanto tiempo llevas aquí? –preguntó el principito–. No pensé que serías tan vieja.

—Las serpientes nunca envejecemos, muchacho. Cada año mudamos la piel y con ella desechamos la vejez. Nuestro linaje se separó del de los dragones cuando el mundo era todavía muy joven, y desde entonces hemos vivido en la Tierra. Estamos en todas partes. Hay serpientes arbóreas, serpientes de agua y otras que, como yo, vivimos en el desierto. Y en todo este tiempo, sólo he visto a dos seres encontrar al Pequeño Espíritu del Fuego y regresar para contarlo, y uno de ellos eres tú, muchachito. Debes de ser, realmente, alguien muy especial.

El principito suspiró levemente. Se estaba acordando de su pequeña flor, de cómo ella realmente se sentía una criatura muy especial.

—Todos somos especiales –dijo el principito dirigiéndose a la serpiente–. Cada uno de nosotros es único e insustituible, por humilde que sea, por poco lugar que crea ocupar en el mundo. Desde el más pequeño grano de arena hasta la más alta de las montañas, todos somos especiales, todos tenemos nuestro sitio en el universo.

—Tienes razón, muchacho. Con frecuencia olvidamos que todos somos importantes, que nuestra presencia da sentido y equilibrio al universo, que al fin y al cabo no es más que la unión de todos los seres que lo habitan. ¡Ah, muchachito! Si todo el mundo tuviese como tú la conciencia de ser partícula de un todo, de que somos parte de una comunidad, y de que cuanto nos rodea es también parte de esa unidad, y por lo tanto, de algún modo, también algo de nosotros mismos, pues integramos un único organismo, entonces no existirían las guerras, ni el odio, ni la destrucción, y todos viviríamos en paz y en armonía.

El principito guardó silencio. En sus viajes había conocido a muchas criaturas, pero la serpiente le fascinaba, porque atesoraba una gran sabiduría. Por eso quiso hacerle una pregunta más.

—¿Encontraremos al dragón?

—Todo el mundo acaba encontrando lo que busca, muchacho, no debes preocuparte por eso, pero sí por estar preparado para cuando llegue el momento.

El principito se quedó un poco perplejo, no entendía muy bien lo que la serpiente había querido decirle. Ésta, dándose cuenta, se explicó:

—Todos buscamos algo, pero no todos estamos en condiciones de encontrarlo. La mayoría de los que emprenden una búsqueda se han olvidado de que el hallazgo no es el final de un viaje, sino el principio. Una vez que hemos alcanzado lo que queremos, debemos estar seguros de poder vivir con ello. Y la mayoría de las veces no es así. Por eso un hombre sabio dijo una vez: «Ten cuidado con tus deseos, pueden convertirse en realidad». Eso es, en esencia, lo que trato de explicarte, que debemos estar seguros de ser dignos de alcanzar nuestros objetivos.

El principito pareció entender. Una vez que encontrase al dragón, debía estar a la altura de los acontecimientos que viniesen después.

Considerando las palabras de la serpiente, volvió de nuevo la vista al cielo. Miles de estrellas llenaban la noche.

—Nadie debería sentirse solo acompañado por tanta belleza –dijo la serpiente, como respondiendo a los pensamientos del principito- y, sin embargo, hay mucha soledad en tu mirada, muchacho.

—Hay una flor allí arriba -dijo el principito-, que quizás en este momento tenga miedo. Es ella la que me preocupa. Tengo que regresar lo antes posible, me necesita.

—Es muy importante saberse necesitado. Acompaña tanto como una noche estrellada. Si es cierto que todos necesitamos querer a alguien, mucho más necesario es tener alguien que nos quiera.

El principito volvió a sumirse en uno de sus profundos silencios mientras meditaba sobre las palabras de la serpiente con la mirada perdida en aquel pequeño y brillante punto del firmamento donde su flor le aguardaba.

VIII

«Déjate guiar por tu instinto; él no te mentirá jamás.» Las palabras del Pequeño Espíritu del Fuego resonaban en la cabeza del principito con persistencia, como si quisieran guiarle en su camino. Acababa de amanecer, en el cielo sólo quedaba una estrella, la más brillante, y el muchacho estaba mirándola fijamente mientras oía dentro de su cabeza los consejos del Pequeño Espíritu del Fuego.

Al poco rato, cuando los rayos del sol ya bañaban por completo el desierto, una pequeña fila de hormigas salió de su hormiguero caminando en dirección Norte. El principito emergió de su ensimismamiento y dijo:

—Es hora de partir. Viajaremos hacia aquellas montañas, hacia el Norte. Tengo la sensación de que allí encontraremos lo que estamos buscando.

Yahivé no tenía argumentos para contradecir al principito, así que aceptó de buen grado la proposición del muchacho. Era el momento de las despedidas.

—No me gusta decir adiós -dijo el principito a la serpiente-. Me has ayudado mucho, no sé cómo agradecértelo.

—Haces bien en observar la vida y escuchar sus mensajes -respondió la serpiente, que había visto cómo el principito interpretaba la señal de las hormigas-. No hace falta que me agradezcas nada, muchacho, no te preocupes. Acuérdate alguna vez de mí, sólo eso te pido.

—No te olvidaré -respondió el muchacho-. Ahora debo irme. Adiós.

Emprendieron la marcha hacia las lejanas Montañas del Norte. Yahivé, la pequeña reina de las hadas, se acomodó en el hombro del principito, confiando en su destino, seguro de que encontraría la solución para salvar el Bosque Encantado y a todos sus habitantes.

Las Montañas del Norte eran una enorme y ondulante sierra de picos siempre nevados que ocupaba casi toda la línea del horizonte. Como si le hubiese leído el pensamiento al principito, Yahivé comentó:

—Incluso desde tan lejos impresionan las Montañas del Norte. Mi abuela contaba muchas historias sobre ellas, leyendas perdidas en la noche de los tiempos. Siempre decía que eran mágicas, que de ellas había nacido todo cuanto vive en nuestro mundo. Aseguraba que el río que baña, bueno, bañaba, el Bosque Encantado nacía en ellas, pero que nunca nadie había conseguido encontrar el manantial.

El principito, que había escuchado atentamente las historias de Yahivé, sintió que de pronto todo comenzaba a tener sentido, como si de repente alguien hubiese descorrido unas pesadas cortinas y la luz hubiese entrado de sopetón, inundándolo todo.

—Debemos darnos prisa. En las Montañas del Norte está el final de nuestro viaje. Es sólo una intuición, pero es tan fuerte que no puedo resistirla. A veces las intuiciones son más ciertas que cualquier otra cosa –dijo el principito–. La intuición es el saber del alma, un conocimiento que está dentro de nosotros, que nace en lo más profundo y puro que tenemos, en nuestra esencia. Por eso siempre debemos seguir nuestras intuiciones, porque siempre nos guiarán bien. Pero hemos de aprender a distinguirlas de los caprichos y de los deseos, porque éstos, generalmente, nos llevan al más absoluto fracaso.

Caminaron durante todo el día. Ya por la noche buscaron el refugio de unos árboles, los primeros que encontraban desde que abandonaron el refugio del desierto.

—Parece que hemos logrado salir del desierto -dijo Yahivé-. Calculo que mañana, si caminamos todo el día a buen paso, llegaremos a las Montañas del Norte.

—Estoy seguro de ello -dijo de repente una voz desconocida.

—¿Quién está ahí -se alarmó Yahivé-. ¿Eres amigo o enemigo?

—No os preocupéis -volvió a sonar la voz-, no voy a haceros daño.

La voz provenía de la copa de un árbol, el más alto y frondoso del pequeño grupo bajo el que se habían refugiado. Al principito le pareció que dos grandes ojos los observaban con una mirada un tanto burlona pero a la vez bondadosa.

—¿Quién eres? -preguntó dirigiéndose hacia los dos ojos que asomaban entre las ramas.

—Soy Setarcos -dijo la voz, tras la cual emergió de entre las hojas la emplumada figura de un búho-. No temáis, soy pacífico. ¿Qué os ha traído hasta aquí? No es frecuente encontrar una pareja tan extraña como ésta, con la reina de las hadas y este jovencito, que parece venido de una estrella.

—¿Cómo sabes tanto de nosotros? -preguntó el principito sin responder al búho.

—¡Oh, no tiene la menor importancia! -contestó el búho, que era muy ceremonioso-. El viento me ha hablado mucho de vosotros últimamente.

—¿El viento? -preguntó Yahivé, incrédula.

—Naturalmente, mis jóvenes viajeros. El viento es mi mejor amigo. Gracias a él siempre estoy informado de cuanto ocurre. Sé, por ejemplo, que venís del desierto y que allí uno de vosotros ha conseguido encontrar al Pequeño Espíritu del Fuego y hablar con él, algo que no había ocurrido en muchísimos años.

El principito estaba realmente asombrado. Aquella criatura extraña parecía saberlo todo, estar al corriente de cuanto sucedía. Pensó que eso quizás podría ayudarle.

—¿Sabes dónde puedo encontrar un dragón?

—¡Oh! -exclamó el buho-, ésa es una pregunta muy difícil de responder. No podría decírtelo con exactitud, pero sí puedo asegurarte que vas por el buen camino. Y otra cosa, quizás más valiosa: nadie

encuentra a un dragón; es el dragón el que le encuentra a uno.

El principito estaba un poco confuso. Las palabras del búho no terminaban de ser claras, más bien lo contrario. Pero no quiso desanimarse y volvió a la carga:

—Si tú quisieras que un dragón te encontrase, ¿adónde irías?

—Eres muy listo, muchacho. Estoy seguro de que fuiste tú quien halló al Pequeño Espíritu del Fuego. Bien, trataré de contestar a tu pregunta. Si yo quisiera encontrar un dragón, dejaría que mi corazón me guiase.

—He tenido un presentimiento –dijo el principito- desde hace algún tiempo. Por eso nos dirigimos hacia las Montañas del Norte.

—Es una sabia elección –contestó el búho-. Es posible que allí encuentres lo que andas buscando. Pero te daré un consejo. Mira siempre con los ojos del corazón, son los que nunca engañan.

El principito asintió con la cabeza, aunque no estaba muy seguro de lo que había querido decir aquel extraño animal al que tanto parecía gustarle hablar como si jugase al escondite.

IX

Un día después de su encuentro con el búho, el principito y Yahivé alcanzaron las suaves laderas de las Montañas del Norte. Era una mañana clara, plena de sol. No había ni una sola nube en el cielo, que aparecía limpio y despejado, profundamente azul. El principito no pudo evitar un leve suspiro al recordar lo azul que es también el cielo en su pequeño planeta, donde podía disfrutar de todas las puestas de sol que quisiera con sólo mover la silla.

Las Montañas del Norte, vistas desde lejos, tenían un delicado color violeta, pero ahora, de cerca, su color viraba a un tono pardo con toques rojizos. Lo que más impresionaba era su altura, inmensa, recortándose desafiante sobre el claro cielo de la mañana.

—¿Cómo subiremos hasta allí? –preguntó Yahivé, impresionada por semejante altura–. No creo que podamos llegar tan alto.

El principito, como era su costumbre, no respondió. Se había sentado sobre un peñasco y observaba la inmensa mole de piedra que se levantaba ante ellos.

De repente, el principito bajó la mirada al suelo. Durante unos instantes estuvo pensativo, como si hubiese caído en una profunda meditación, hasta que pasados unos minutos apareció, como por arte de magia, un pequeño escarabajo verde que comenzó a caminar despacio hacia la montaña. El principito se puso en pie y dijo:

—Adelante, nuestro guía ha llegado.

Yahivé no sabía muy bien qué estaba ocurriendo, pero ya comenzaba a acostumbrarse a estas extrañas reacciones del principito, que por muy raras que parecieran a simple vista siempre terminaban saliendo bien. De manera que, sin rechistar, se puso en marcha, siguiendo al muchacho de los cabellos dorados.

Caminaron durante varias horas por un sendero que a simple vista era imposible de descubrir. El escarabajo, incansable, iba llevándolos por el angosto camino sorteando grandes piedras, ramas de árboles y barrancos que ponían el vello de punta. Cuando comenzó a caer la tarde, el escarabajo desapareció del mismo modo que había llegado.

—Nos detendremos aquí a pasar la noche –dijo el principito–. Mañana seguiremos nuestro camino.

Durante toda la noche, el principito mantuvo su vista fija en las estrellas. ¡Echaba tanto de menos a su pequeño planeta! El muchachito trataba de desentrañar el laberinto luminoso del cielo intentando encontrar el camino hacia su casa, donde una pequeña flor quizás estaba viéndose asediada por los brotes de baobab, que tan rápido crecían, o por la erupción de alguno de los volcanes, porque aunque los había deshollinado muy bien antes de salir, nunca se está del todo seguro con ellos. En esas meditaciones permaneció mucho tiempo, para al final caer rendido por el sueño y el cansancio.

Al amanecer, un primer rayo de sol, tímido y tibio, le bañó la cara. El principito abrió los ojos. La mañana tenía una luz hermosísima. Cualquiera diría que era la primera mañana del mundo, de tan bella. Se levantó muy animado y llamó a Yahivé.

—Debes estar preparada; pronto reemprenderemos nuestro camino.

De repente, se dio cuenta de que a pocos metros se abría la boca oscura de una cueva. Estaba mirándola cuando el pequeño escarabajo verde volvió a aparecer. El principito comenzó a intuir lo que ocurriría a continuación y, en efecto, se salió con la suya. El escarabajo se dirigió muy decidido hacia la entrada de la cueva.

—Vamos -dijo el principito-. Es por aquí. Tengo el presentimiento de que nuestro viaje está a punto de acabar.

Penetraron en la cueva. Les costó un poco de tiempo acostumbrar sus ojos a la oscuridad, pero poco a poco comenzaron a ver los contornos de la caverna. Una luz muy tenue parecía emanar de las paredes, la suficiente como para poder caminar sin tropezar y para seguir al pequeño escarabajo.

No fue un camino fácil. El principito tenía la sensación de que poco a poco iban descendiendo, de que el camino los conducía hacia el corazón de aquellas montañas. Finalmente, desembocaron en un inmenso lago. El principito miró al suelo. De repente, el pequeño escarabajo había desaparecido, y el muchachito tuvo la certeza de que había llegado al final de su viaje.

El principito estaba impresionado. Aquello le recordaba al mar, aquel mar que visitó una vez, hace algún tiempo. Pero no era el mar; era mucho más manso, como si el agua estuviese dormida. Se acercó a la orilla y arrojó una piedra a la limpia superficie. Unas ondas concéntricas señalaban el lugar donde había caído la piedra cuando, de repente, un oleaje, primero muy leve, luego encrespado, se levantó en la hasta entonces plana superficie.

—¿Qué ocurre? -gritó, alarmada, Yahivé-. Algo parece haberse despertado en el lago. Y es algo muy grande.

Aún no había terminado de decir esto cuando una enorme cabeza emergió del agua. Ninguno había visto jamás nada igual, pero el principito no tuvo ninguna duda de que había encontrado, por fin, al dragón que tanto tiempo llevaba buscando.

X

Nunca había visto algo tan majestuoso, tan grande y que, al mismo tiempo, se moviese con tanta gracia, con una elegancia que se diría sobrenatural. El principito pensó que pocas cosas en el universo podían ser más hermosas que aquel dragón, y aunque algo de miedo le atenazaba, porque una criatura tan enorme y tan poderosa podía aterrorizar a cualquiera, en su corazón sabía que no tenía nada que temer, que había llegado al final de su viaje y que el encuentro que estaba a punto de producirse iba a cambiar el curso de su vida para siempre.

Poco a poco, el dragón fue emergiendo. Se movía tan despacio, con tanta parsimonia, que parecía como si hubiesen pasado años antes de ver todo su cuerpo fuera del agua. Ninguno de los dos viajeros había visto nada semejante. De un color rojo muy vivo, con una piel cubierta de escamas brillantes y una inmensa cola terminada como en punta de flecha, sin embargo lo que más llamaba la atención eran sus ojos, pues aquella soberbia criatura tenía una mirada muy especial, mezcla de bondad y sabiduría, una mirada que, estaba bien seguro, el principito no iba a olvidar en el resto de su vida.

De repente, el dragón fijó su atención en los pequeños seres que, desde la orilla, le miraban impresionados. Muy despacio, fue agachando la cabeza lentamente hasta situarse más o menos a su altura, y con una voz muy suave, una voz que tenía la dulce gravedad de lo profundo, preguntó:

—¿Quiénes sois vosotros?

Nadie respondió. El dragón, que parecía tan sorprendido como sus visitantes, insistió:

—¿Quiénes sois? ¿Qué queréis de mí? ¿Por qué me habéis despertado?

De nuevo obtuvo el silencio por respuesta.

—Ya veo que se os ha olvidado hablar. Hace tanto tiempo que nadie me visita que, por lo visto, las cosas han cambiado mucho y no me he enterado. Siglos atrás solían venir a verme los habitantes del Bosque Encantado y, que yo recuerde, todos hablaban. Y

si no me equivoco, al menos uno de vosotros es habitante del Bosque Encantado.

Yahivé, la reina de las hadas, haciendo un gran esfuerzo para superar la fuerte impresión que la mantenía paralizada, fue la primera en hablar:

—Soy Yahivé, la reina de las hadas -dijo con voz muy tímida-. Hemos hecho un largo viaje hasta encontrarte.

—¿Y por qué me buscáis? -quiso saber el dragón-. Hace siglos que duermo plácidamente bajo estas aguas; no he intervenido en la vida de las criaturas humanas ni de las criaturas mágicas en los últimos mil años.

El principito estaba algo confuso. ¿Qué sería aquello de criaturas humanas y criaturas mágicas? Las cosas estaban empezando a complicarse bastante, así que decidió intervenir:

—Buenos días, señor dragón -comenzó diciendo el principito-. Lamentamos mucho haberle despertado de su sueño, pero es algo muy urgente. Mi amiga vino a pedirme ayuda porque el Bosque Encantado se muere y no sabían cómo evitarlo. La verdad es que yo tampoco, pero juntos emprendimos un largo viaje durante el cual supimos que sólo encontrando al dragón hallaríamos la respuesta a nuestras preguntas.

Todo nos ha conducido hasta aquí, y estamos convencidos de que éste es el final de nuestro viaje y de que con su ayuda podremos salvar el Bosque Encantado y a todos sus habitantes.

El dragón pareció reflexionar unos instantes, impresionado por la elocuencia de aquel muchachito de apariencia tan frágil, pero que se había mostrado tan decidido y firme en su explicación. Después de unos minutos de silencio que al principito le parecieron días, el dragón volvió a hablar:

—De modo que el Bosque Encantado está en peligro –dijo como si pensara en voz alta–. Algún día tenía que pasar algo así, era cuestión de tiempo.

—¿Qué significa eso? –preguntó el principito.

—Es fácil –comenzó a responder el dragón–. Desde que el universo tiene memoria, desde el principio de los tiempos, los dragones hemos sido el símbolo mágico por excelencia. No había manifestación de la magia donde no estuviésemos presentes. Cuando el mundo todavía era joven, las criaturas humanas y las criaturas mágicas convivían pacíficamente, en armonía. Todo lo compartían, el mundo era de todos y la felicidad reinaba. Pero las cosas comenzaron a cambiar. Poco a poco, las criaturas humanas empezaron a recelar de las criaturas mágicas, a temerlas porque, decían, eran demasiado poderosas, sin saber que la magia todo lo puede, pero es inútil cuando se trata de hacer daño a los humanos. Así que comenzaron a distanciarse, a construir una invisible pero infranqueable frontera entre ambas razas. Al principio no tuvo mucha importancia, pero con el paso del tiempo la distancia fue insalvable y del inicial recelo se pasó al odio. Y del odio a la guerra no hay más que un paso. Nadie recuerda ya cómo empezó todo, qué ocurrió exactamente para que los humanos declarasen la guerra a la magia, y al cabo eso es lo de menos. Lo importante es que grupos de humanos comenzaron a especializarse en acabar con los seres mágicos y nos perseguían con saña. Durante muchos siglos nos fueron acorralando, destruyéndonos, hasta que sólo quedamos unos cuantos. Su principal presa éramos nosotros, los dragones, pues sabían que terminando con nuestra estirpe la magia acabaría en el mundo, pues a mi raza se le encomendó su salvaguarda.

El relato del dragón era estremecedor. El principito y sus dos amigos se habían sentado en unas piedras a la orilla del inmenso lago, y escuchaban atentamente la historia del dragón, al que se le habían llenado los ojos de lágrimas mientras recordaba.

—Cuando sólo quedamos tres dragones –continuó su relato–, supimos que el fin estaba cerca, por lo que decidimos buscar un lugar donde poner a salvo a las criaturas mágicas que aún quedaban en el mundo. Por fortuna encontramos el Bosque Encantado, que entonces estaba totalmente deshabitado, y trasladamos allí a las pocas que quedaban. Como sabéis, sólo nace una criatura mágica para reemplazar la muerte natural de otra de su especie, de manera que después de tantos siglos de aniquilación, ya quedaban muy pocas, apenas algunas hadas. Las hadas se ocultaron en el Bosque Encantado. Mis hermanos y yo habíamos tenido la suerte de encontrar un lugar bien escondido, lejos de todo, donde los últimos representantes de la magia podían vivir en paz y en armonía. Años más tarde, cuando mis hermanos ya eran muy, muy ancianos, buscamos refugio en esta cueva y aquí nos instalamos, en las entrañas de una sierra cuya silueta nos recordaba nuestra propia raza. No tardaron mucho en morir mis queridos hermanos, pues eran ya muy viejos, dejándome solo. De vez en cuando, algún hada llegaba hasta aquí para pedirme consejo, pero con el tiempo se fueron olvidando de mí. Yo esperé durante mucho tiempo que volvieran, pero acabé por darme cuenta de que el mundo había olvidado la existencia de los dragones, que era tanto como si el mundo se hubiese olvidado de la magia. La tristeza me llevó al fondo del lago, donde he permanecido desde entonces hasta hoy, que me habéis despertado vosotros.

XI

El principito estaba desolado. Allí, entre las estrellas, en su pequeño asteroide, nunca había visto tanta tristeza como la que veía ahora en los ojos del dragón. En su planeta, tan diminuto, sólo eran tristes las puestas de sol, pero tenían esa placidez que las hacía tan gratas, tan hermosas. Sin embargo, los ojos del dragón destilaban otro tipo de tristeza, la que nace dentro del alma, la que no deja un regusto dulce, sino amargo y doloroso. El principito sintió pena por el dragón.

—¿Por qué escasea el agua? –preguntó al fin.

—Ésa es una buena pregunta, muchachito –respondió el dragón–. Hay varias causas para ello, algunas muy graves, y el hombre está en el origen de todas. Aunque he permanecido oculto durante mil años, no creas que no sé todo lo que ha ocurrido en este tiempo. Sé que el hombre ha ido destruyendo cuanto ha encontrado a su paso, que ha convertido los campos en ciudades, los bosques en fábricas, los ríos en vertederos... El hombre ha ensuciado, destruido y asolado la mayor parte de un planeta que no es de su propiedad, que le pertenece en igual medida que a la más humilde de las hormigas, aunque no ha querido comprenderlo jamás, y siempre se ha sentido como el único dueño de la Tierra y de todo cuanto contenía, vivo o inanimado. Y, ahora, el planeta comienza a agotarse, es una criatura enferma que necesita tiempo y descanso para recuperar su vitalidad de siempre. Lo malo es que el ser humano tampoco quiere comprender esto y pretende mantener su loco ritmo, por lo que acabará matando al planeta y, de paso, matándose a sí mismo.

—Claro –exclamó el principito–. Y la falta de agua es una de las primeras causas de esa enfermedad de la Tierra.

—En efecto –dijo el dragón–. Una de las primeras y, sin duda, una de las más graves. Cuando el agua falta, falta la vida. Ningún ser puede soportar muchos días la carencia de agua, de manera que, si las cosas continúan al ritmo que van, pronto no quedará nada sobre la faz de la Tierra.

—¿Y el Bosque Encantado? –preguntó Yahivé ahogando un sollozo.

—El Bosque Encantado podrá sobrevivir sólo gracias a la magia –contestó, enigmático, el dragón.

—¿Qué significa eso? –insistió el principito.

—Es fácil. El Bosque Encantado es un lugar mágico, un refugio donde mis hermanos y yo depositamos hace muchos, muchísimos años, lo poco de magia que quedaba en la Tierra. Y mientras quede un dragón en el mundo, el Bosque Encantado estará a salvo.

—Pero ahora está en peligro –dijo el principito–. Hace tiempo que se muere por falta de agua.

—Tienes razón, muchachito, tienes razón –admitió el dragón–. Me he dejado llevar por la tristeza en los últimos tiempos, y no he estado atento a mis obligaciones. A veces, cuando la soledad es tan larga, nos abraza la tristeza, y poco a poco se va convirtiendo en una segunda piel, una piel que nos aísla de todo, que nos hace volvernos hacia nosotros mismos, a no mirar más allá de nuestro interior. Nos alejamos de todo cuanto queremos y de todos los que nos quieren, y acabamos más solos todavía. No es bueno dejarse invadir por la tristeza, hay que combatirla, luchar contra ella, no permitirle que nos conquiste.

El principito, mientras escuchaba las sabias palabras del dragón, se acordaba de su pequeño planeta y de su flor, que debía de estar esperándole, y que tal vez allí, tan sola, rodeada quizás de brotes de baobabs, o tal vez amenazada por la repentina erupción de uno de los volcanes, estuviese dejándose embargar por la tristeza, y sintió unos enormes deseos de volver.

XII

De repente, comenzó a oírse una música. Al principio era como un leve silbido del viento, pero poco a poco empezó a hacerse más presente, a llenar de sonido el entorno. Era una canción alegre, llena de ritmo, que invitaba a bailar y a ser feliz. El principito no pudo reprimir la risa.

—¡Muchacho! —exclamó el dragón—. Ahora comprendo cómo has sido capaz de llegar hasta aquí. De verdad que eras para mí una gran incógnita, porque siendo indudable que eres una criatura muy especial, no sabía exactamente por qué. Pero ahora que he oído tu risa lo he comprendido todo.

El principito estaba intrigado. No entendía muy bien qué quería decir el dragón, pero sobre todo le provocaba mucha curiosidad aquella música que le hacía

feliz pero que no sabía de dónde venía.

—¿Qué es esa música? –preguntó al dragón–. Creía que estábamos solos en esta inmensa cueva.

—Y lo estamos –respondió el dragón–. Es la canción de la Tierra, el sonido del corazón de este planeta, que sigue latiendo pese a todo. Hacía mucho tiempo que no lo oía latir tan feliz, y ahora sé que el motivo eres tú. ¡Vuelve a reír, muchacho, haz ese favor a este viejo dragón.

Una vez más, el principito no pudo reprimir su risa. El eco se encargó de repetir el mágico sonido muchas veces, y todo pareció entonces más en paz, más en armonía. Incluso la mirada del dragón había cambiado, ya no estaba tan triste. El principito creyó que debía aprovechar el momento.

—¿Cómo podemos hacer que el agua vuelva a correr hasta el Bosque Encantado?

—No será fácil –respondió el dragón–. Hace tantos años que no salgo de este lago que no sé si podré volver a recorrer los viejos caminos.

—¿Qué quieres decir? –preguntó el principito, intrigado.

—Ahora lo verás –respondió el dragón.

Ni el principito ni Yahivé habrían esperado que algo así sucediera. De repente, el dragón onduló el cuerpo y se sumergió en las quietas aguas del lago. Parecía imposible que un ser tan inmenso pudiese moverse a una velocidad tan grande. Antes de que pudieran darse cuenta, lo habían perdido de vista, y del dragón sólo quedaba una leve ondulación en la superficie del lago.

Y de improviso, cuando parecía que el dragón había desaparecido para siempre, su enorme cabeza volvió a emerger, y tras ella todo el cuerpo, pero esta vez no para quedarse flotando en la superficie. El dragón salió disparado hacia el alto techo de la cueva en un vuelo que parecía imposible y, desplegando unas gigantescas alas que hasta ese momento habían permanecido ocultas, planeó sobre el agua.

—¡Vamos, tenéis que venir conmigo! –gritó el dragón.

El principito no se lo pensó dos veces y cuando el dragón pasó junto a él saltó sobre su lomo, llevando a Yahivé entre sus manos. El dragón se elevó entonces hasta lo más alto de la cueva y, como una flecha, se sumergió en el lago, levantando una enorme ola de espuma.

El principito nunca hubiera pensado que el lago sería tan profundo. Se sumergieron durante mucho rato, avanzando cada vez más hacia abajo, hasta que casi era imposible ver nada. Entonces el principito notó que habían llegado al fondo, porque ahora el dragón nadaba en línea recta, muy rápido, impulsándose con su poderosa cola.

Nunca podrá decir el principito cuánto tiempo estuvo bajo el agua, pero le pareció una eternidad. Cuando ya creía que se ahogaría, vio, frente a él, un pequeño resplandor, como si el sol estuviese colándose por donde parecía totalmente imposible. El dragón se lanzó derecho hacia ese diminuto punto

de luz, a toda velocidad, y el principito pensó que se estrellarían contra las rocas. En ese momento, que creyó sería el último, se acordó de su flor, tan desvalida, tan sola en su pequeño y lejano planeta.

Cuando ya parecía que el choque sería inevitable, ocurrió lo inesperado. El dragón abrió sus grandes fauces y de su garganta surgió un enorme chorro de fuego que ni siquiera todo el agua del lago podía apagar. Su fuerza era tan inmensa que la pared comenzó a ceder y el pequeño agujero por donde antes entraba una brizna de luz se hizo enorme, dejando paso suficiente para el dragón, que arrastraba tras de sí una inmensa ola.

XIII

A lo lejos, allá en el valle, los habitantes del Bosque Encantado miraban asombrados la gran cascada que se había formado donde hasta entonces sólo había un imperceptible hilillo de agua. Pero más impresionados aún contemplaban a un inmenso dragón que recorría el seco lecho del río perseguido por una gran ola.

Hasta sus oídos llegaba, también, una extraña y alegre música que les hacía sentirse muy alegres, que los llenaba de vida mientras el agua regresaba a su viejo y hasta entonces seco cauce.

Poco a poco, el río se fue calmando, y del ímpetu inicial pasó a discurrir con mansedumbre. Los árboles y los animales saciaban su sed, una sed que a punto estuvo de acabar con todos ellos. Y de vez en cuando volvían los ojos al cielo, donde el dragón volaba con increíble agilidad.

Cuando, por fin, el dragón descendió, posándose con suavidad en un claro del Bosque Encantado, sus habitantes comprobaron estupefactos que de su lomo descendía un niño de dorados cabellos y Yahivé, la reina de las hadas.

La alegría se desbordó. Cuando ya habían perdido la esperanza, cuando pensaban que seguramente Yahivé se había perdido intentando encontrar ayuda y que sólo les quedaba esperar que llegara la muerte, todo se había solucionado de repente y ahí la tenían, más brillante que nunca, tan feliz como ellos por el reencuentro. Y al son de esa música bellísima que, sin que nadie supiera de dónde venía, sonaba por todas

partes, los habitantes del Bosque Encantado celebraron el regreso de la reina de las hadas y el del río.

A un lado, apartados un poco de la fiesta y el bullicio, el principito y el dragón se tomaron un pequeño respiro junto a unas piedras.

—¡Ah, muchacho, ya estoy viejo para tantas emociones! –confesó el dragón.

—Hay algo que no entiendo –empezó a decir el principito–. Si cuando una criatura mágica muere otra nace en su lugar, ¿no deberían haber nacido dos dragones para ocupar el lugar de tus hermanos?

—Tienes razón, muchacho. Pero hay un problema. Los dragones somos las únicas criaturas mágicas que no pueden nacer solas. Necesitan la ayuda de otro dragón que, con su fuego, rompa el cascarón del huevo, pues es tan duro que sólo la llama de un dragón puede quebrarlo.

—¿Y dónde están los huevos de dragón? –preguntó el principito.

—Nadie lo sabe. Mis hermanos los ocultaron para protegerlos. Yo los busqué durante mucho tiempo, pero jamás llegué a encontrarlos. Sólo sé que, si no los descubro antes de que llegue mi hora, los dragones habrán desaparecido para siempre. Pero mi hora ya está cerca, muchacho, no puedo engañarme. He vivido muchos siglos, y ya empiezo a sentirme viejo y cansado. Pronto dejaré este mundo. Pero antes de irme quisiera, aunque fuese por última vez, volver a escuchar tu risa. Tal vez tú no lo sepas, pero esa risa tuya es como una medicina para el alma. Oírte reír es soñar despierto, muchacho, un bálsamo para las heridas del corazón. Ríe otra vez, pequeño, hazme ese último favor.

El principito accedió. Al principio con timidez, pero, soltándose poco a poco, dio rienda suelta a su alegría y dejó que su risa llenase el Bosque Encantado, que recorriese, como un viento juguetón, cada rincón de aquel lugar mágico que a punto había estado de desaparecer.

El principito rio y rio, durante mucho rato, dejando que la felicidad le llenase por completo, dejando que su risa fuese como el río que había liberado su amigo el dragón, libre y tranquilo.

Pero, de repente, la voz del dragón le interrumpió:

—¡No puede ser! ¡Es imposible!

El principito enmudeció. Todos miraban hacia él, pero no le miraban a él. Giró la cabeza y vio cómo las piedras sobre las que se había apoyado para descansar comenzaban a resquebrajarse y de ellas salían dos pequeños dragones de color rojo muy vivo, con

una piel cubierta de escamas brillantes, una cola terminada como en punta de flecha y dos alas.

—¡Así que han estado aquí todo este tiempo! –gritó el dragón–. Mis hermanos ocultaron los huevos camuflándolos como si fuesen piedras, seguros de que nadie los encontraría, pero tu risa los ha liberado. Ya te dije que eras un ser muy especial, muchachito, y ya lo ves, tu risa es tan poderosa como el fuego de un dragón.

XIV

Siguiendo su costumbre, el principito había deshollinado los volcanes, arrancado los brotes de baobabs y cubierto la flor para que un mal viento no la dañase, así que, con todas sus tareas terminadas, ahora ya podía dedicarse a lo que más le gustaba, contemplar las puestas de sol. Así que cogió su silla y la giró para poder contemplar el inmenso espectáculo del atardecer.

La suavidad de los malvas era tan sutil que hacía cosquillas en el alma; la calidez de los naranjas, estremecedora, y los rojos tan intensos que parecía como si el cielo ardiera. Y de pronto, tres puntos rojos comenzaron a elevarse, como si desobedecieran el orden natural de las cosas. Tres puntos rojos que, a medida que se elevaban, se hacían reconocibles. El principito se levantó y saludó con la mano a los tres dragones que, a lo lejos, llenaban para siempre el universo de magia.